理查小档案

本名/菲利浦·罗贝鲁路易·帕杰斯
生日/1953 年 12 月 28 日
身高/177 公分
体重/66 公斤
星座/魔羯座
出生地点/巴黎郊外的罗曼威鲁
头发颜色/金黄色
眼睛颜色/蓝色
喜欢的花/鸢尾花
喜欢的运动/冰上曲棍球
喜欢的食物/红烧小牛肉
喜欢的饮料/水果鸡尾酒
喜欢的演员/伍迪艾伦、马龙白兰度
喜欢的歌手/Billy Joe. Beatles
喜欢的影片/星球大战
座车/BMW

理查德·克莱德曼
经典通俗钢琴曲

● 许民 选编
● 长春出版社
● www.musicbookchina.com

真挚唯美的钢琴王子

1953 年 12 月 28 日，在巴黎近郊的罗曼威鲁诞生了一位当今流行钢琴界的闪亮巨星，他就是人们熟悉的法国浪漫钢琴王子——理查·克莱德曼（Richard Clayderman）。

理查·克莱德曼本名菲利普·帕杰斯（Philippe Pages），父亲罗贝鲁·帕杰斯原是家俱制造商，后为维持家计转而以教授钢琴为业，因此，他的父亲顺理成章地成为他幼年时的钢琴启蒙老师。理查曾说："我父亲只教我两件事，一件是走路，另一件就是弹钢琴。"理查的父亲对他的影响最直接，也最深刻。

五岁时，理查即以一曲《菲菲圆舞曲》名扬乡里。而他在六岁时即能熟读琴谱及弹奏钢琴，这项音乐天赋比起说他的母语法文还来得得心应手。

过不久，父亲便无法满足他对音乐进一步的探索与需求，于是转往父亲的好友弗里特曼处学习正统音乐。天资聪颖的理查有过人的学习能力，不到八岁就赢得当地的钢琴比赛。

理查 12 岁那年进入巴黎音乐学院就读，专攻古典钢琴。他最喜欢萧邦与德彪西，并一心向往成为一位出色的作曲家及演奏家。为了赚取外快，帮助家计，他开始在婚礼或宴会场合演奏。他一面接受音乐学院的正规训练，一面也着手研究法国的传统音乐，希望能结合这两种音乐，并赋予其新的注释与面貌。

迫于环境，他也有了切合实际的认识：想在古典音乐界争得一席之地，除了对自我的要求外，财力、环境的支持也是必要的因素。而这些因素都是理查无法轻易获得的。抉择之下，只好另谋出路。

"我并不想成为古典钢琴家。我一直想尝试新的事物，因此和朋友们组成了一个摇滚乐团，那是一段艰苦的日子……我们将仅有的一些钱拿去买乐器，由于我在吃的方面一向很随便，通常以三明治充腹，结果在 17 岁时，就不得不接受胃溃疡手术。"理查说。就在这段期间，父亲的病情加重，无法再支助他继续完成学业。

当他 16 岁以第一名成绩毕业于巴黎音乐学院之后，为了赚取生活费，他白天在银行当柜台人员，晚上则为许多法国知名艺人伴奏。这一年也正是他一生中唯一支领固定薪水过活的日子。

就在理查辛勤耕耘的这段期间，法国达芬唱片公司（Delpnine）选中了他做为他们的"新血轮"，理查不论外型，演奏风格或技巧都合乎他们的要求与理想。达芬唱片公司负责人兼作曲家保罗·塞内维尔与奥立佛·图森是非常成功的两个音乐制作人，他们要发掘一位特别的钢琴家来演奏一首优雅的曲子（那是写给保罗的女儿爱德琳的），于是他们从二十位钢琴家中选择了理查·克莱德曼，并且赋予那首曲子一个优美的名字《给爱德琳的诗》（水边的阿蒂丽娜）。

《给爱德琳的诗》推出后，并未如预期的顺利。对于音乐，理查一向秉持着"音乐不能不美，而且是愈美愈好"的原则，为了使这首美丽的曲子被世人接受，他采取现场演奏方式，结果证明他的策略非常成功。《给爱德琳的诗》不但成功地散布到世界每个角落，并且使理查·克莱德曼扬名国际。此后，越来越精彩的演奏录音及成功的旅行演奏，让全球乐迷为之疯狂，成为 20 世纪国际乐坛的一大事件。

1984 年在纽约 Waldorf Astoria 饭店举办的一个庆祝音乐会上，当时的第一夫人南希·里根给予他一个十分贴切的封号"The Prince of Romance"（浪漫王子），这个动人的称呼从此就成为理查·克莱德曼的最佳代名词。

为满足无数乐迷的需求，理查每年固定有 200 场演奏会，因此有丰富的巡回演出经验。迄今他巡回世界各地的演奏会已超过 2,000 场次；他也曾来我国数次，让国内观众一饱耳福，并亲身领略他迷人的风采。即便如此，他仍有排不完的行程，他不但不以此为苦，反而热爱这种方式，"我喜欢在舞台上表演，因为我喜欢和观众直接接触。"他说。

理查的音乐已俨然是一种国际共通的语言，他的音乐蕴含着非常特殊的元素，使得他独树一帜，成为流行钢琴界的佼佼者。他的触键充满着朝气与活力，创造出的音响明亮辉煌、清丽而富有弹性。其次，他的钢琴表现手法也十分朴素，直接表达出情感，令人不感觉矫柔及修饰，这在技巧上是很难能可贵的，而一方面也是由于他的年轻与朴素亲和的气质所造成。

理查除了弹奏浪漫音乐之外，萧邦的钢琴组曲、民谣、著名影视主题曲及流行乐，乃至港台歌曲或大陆名歌，经由理查的重新编奏，显得那样丝丝入扣，韵味十足，把听众带入心驰神往的美丽世界。

从法国到德国，从西欧到北欧，从南非到南美，从日本到整个远东，理查掀起了一股全球性的旋风，他那独特的浪漫钢琴曲调，在热浪般的摇滚声中，带给人们的是一剂清凉。理查·克莱德曼这个名字也因此而熠熠生光，他如同那些通俗音乐的超级明星们一样，受到全世界热爱他的人崇拜，以一个演奏流行器乐的音乐家而言，这种情形也是史无前例的。

理查至今虽已成名，但是名利双收与万人崇拜的日子并未使他昏了头。他不自命清高也不妄自菲薄，他坦然于出生背景，对于自己放弃古典，走上流行，自有独立的见解，而且不断寻求音乐上的进步，及善与美的真理。因为他认为音乐非美不可，不是美的音乐，不能动人心弦。理查也是个爱做梦的人，他觉得只要心中有梦，则希望无穷，不放弃追求梦的人，一定可以梦境成真，因为希望带给人信心，他希望他的钢琴旋律可以带给人们无穷的美梦与希望。

除了理查所钟爱的音乐与钢琴外，他挚爱自然与家庭生活，和一般浪漫而追求现实享乐的法国男人不同，这辈子最大的希望是"生一堆小孩，有一个大家庭"。他最喜欢携同妻儿到拥有蓝天、绿海、果树、鲜花的南法别墅共享天伦之乐。

当他脱下舞台上高雅的晚礼服，换上随意自在的 T 恤衫、牛仔裤、旅游鞋，漫步法国街头，他仅是一个普通的法国男人；只不过，他比别人多了一颗敏锐善美的心及忠于音乐、忠于生命的自我追求，这使得他可以是旷世巨星，也可以是爱家爱朋友的平民百姓。（摘编自滚石唱片）

目　录

花　心

喜　纳曲
克莱德曼改编

许民根据演奏录音记谱并整理。

3

新鸳鸯蝴蝶梦

黄　安　曲
克莱德曼改编

许民根据演奏录音记谱并整理。

5

7

太 阳 红

王 锡 仁 曲
克莱德曼改编

许民根据演奏录音记谱并整理。

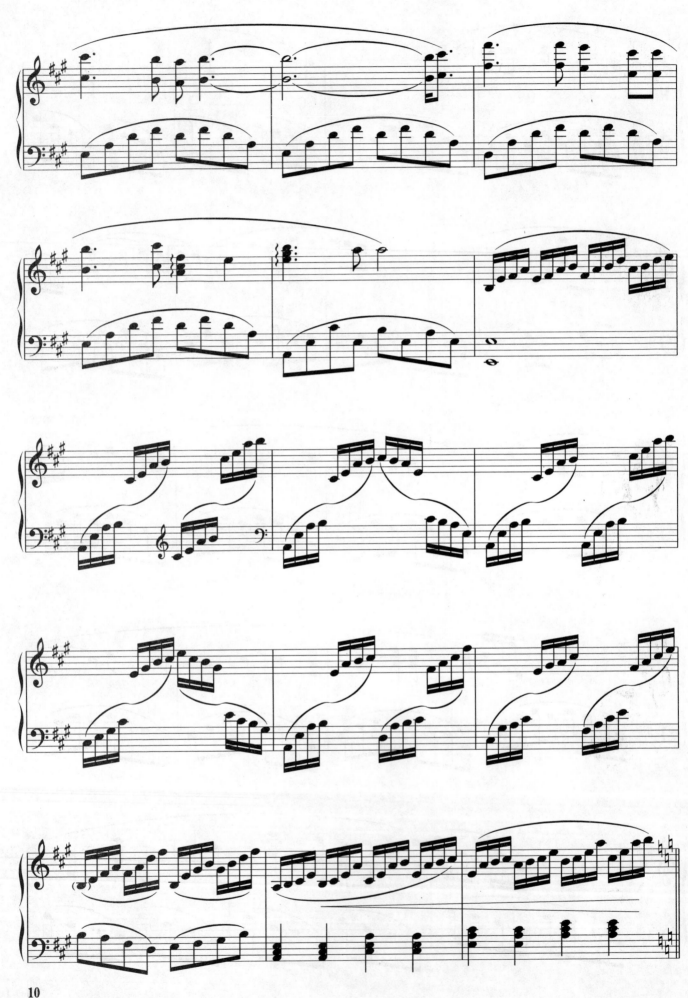

11

梁祝——蝴蝶恋

何占豪、陈钢 曲
克 莱 德 曼改编

许民根据演奏录音记谱并整理。

13

14

何日君再来

刘雪庵 曲
克莱德曼改编

许民根据演奏录音记谱并整理。

17

水边的阿蒂丽娜

(给爱德琳的诗)

塞内维尔、图森曲

秋 的 私 语

(美好的恋情)

塞内维尔、图森曲

22

24

爱的协奏曲

Slowly（♩=64）

塞内维尔、图森曲

29

爱的旋律

塞内维尔、图森曲

爱 的 喜 悦

（冷藏的爱）

马蒂尼 曲
塞内维尔改编

34

爱的故事

弗·阿尔贝·莱曲

36

37

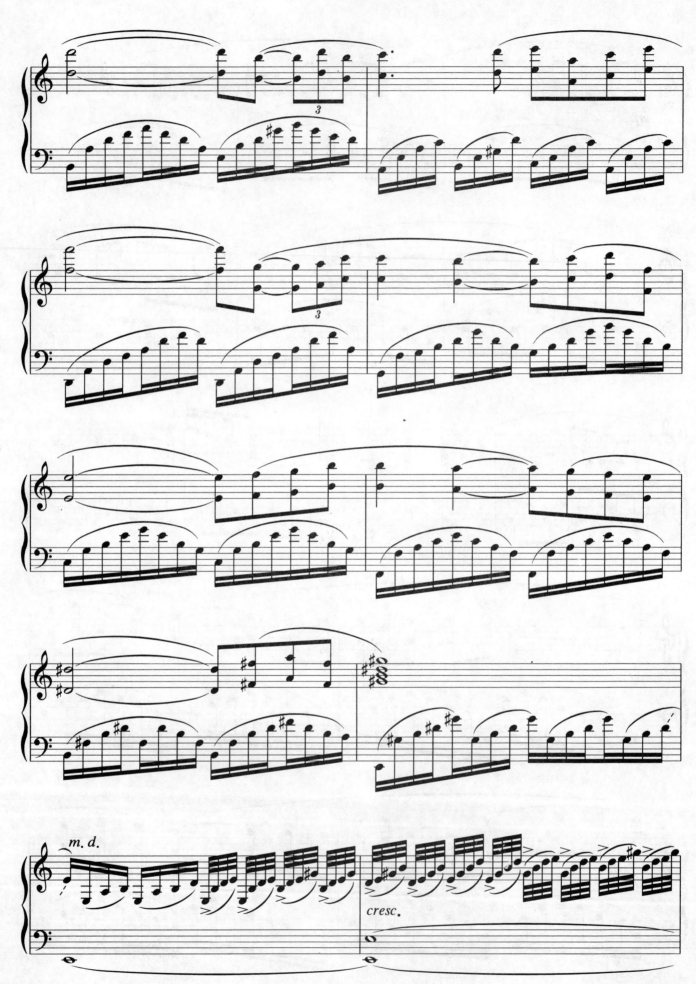

39

梦中的鸟

塞内维尔曲

梦中的婚礼

塞内维尔、图森曲

45

46

梦 的 传 说

塞内维尔、博德洛特曲

47

Tempo Rubato

梦 的 故 事

塞内维尔、图森曲

50

51

乡　愁

（思乡曲）

塞内维尔、图森曲

53

星　空

（星夜钢琴手）

塞内维尔、图森曲

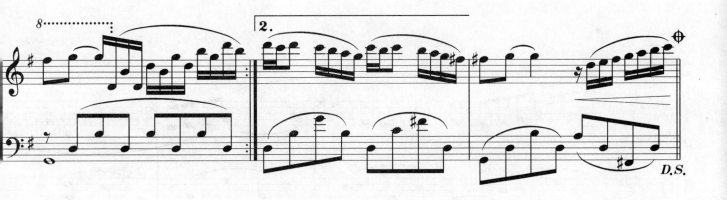

Coda

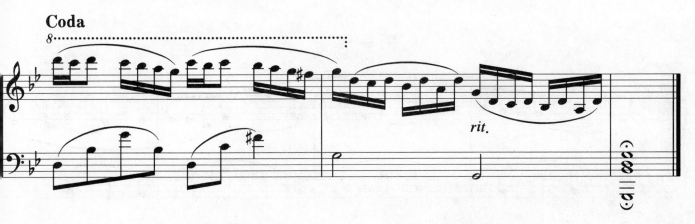

痛苦的心

(午后的出发)

塞内维尔曲

59

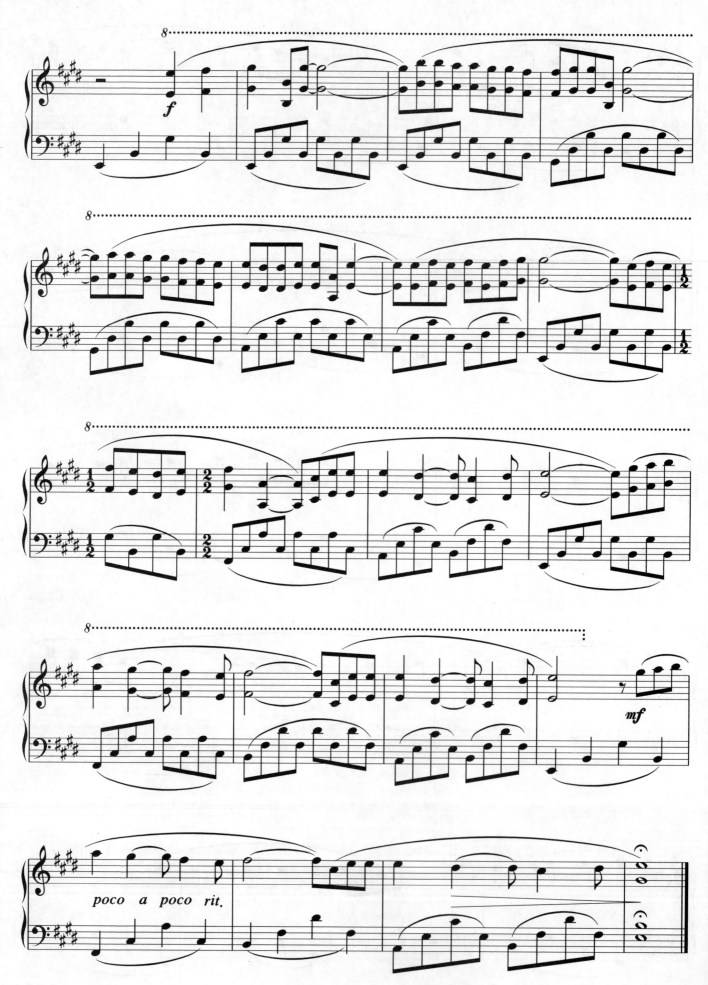

给母亲的信

塞内维尔、图森曲

65

童年的回忆

（爱的克丽斯汀）

塞内维尔、图森曲

66

儿 童 回 旋 曲

塞内维尔、图森曲

野　花

（悲哀的结局）

塞内维尔、图森曲

74

乒乓之恋

（树下乒乓）

塞内维尔、图森曲

sempre staccato

Coda

心　境

塞内维尔、博德洛特曲

80

瓦妮莎的微笑

塞内维尔、图森曲

82

柔如彩虹

Adagio（♩=62）

塞内维尔、图森曲

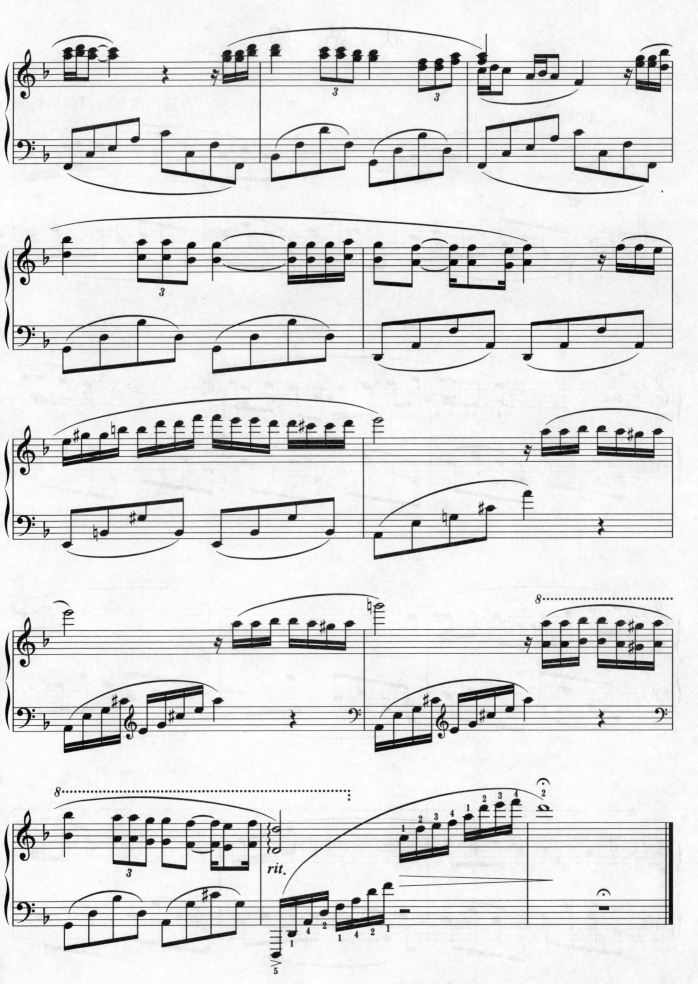

狄 姑 娘

塞内维尔、博德洛特曲

92

阿根廷哟，别哭泣

略伊德、蒂姆曲

杜兰的微笑

(杜兰的旋律)

塞内维尔、图森曲

玫瑰色的人生

Moderato ♩=84

路易居曲

绿 袖 子

英 格 兰 古 歌
图森、萨莱斯改编

104

心 的 冲 动

(爱的冲击)

塞内维尔、图森曲

或：

淡紫色的花束

塞内维尔、图森曲

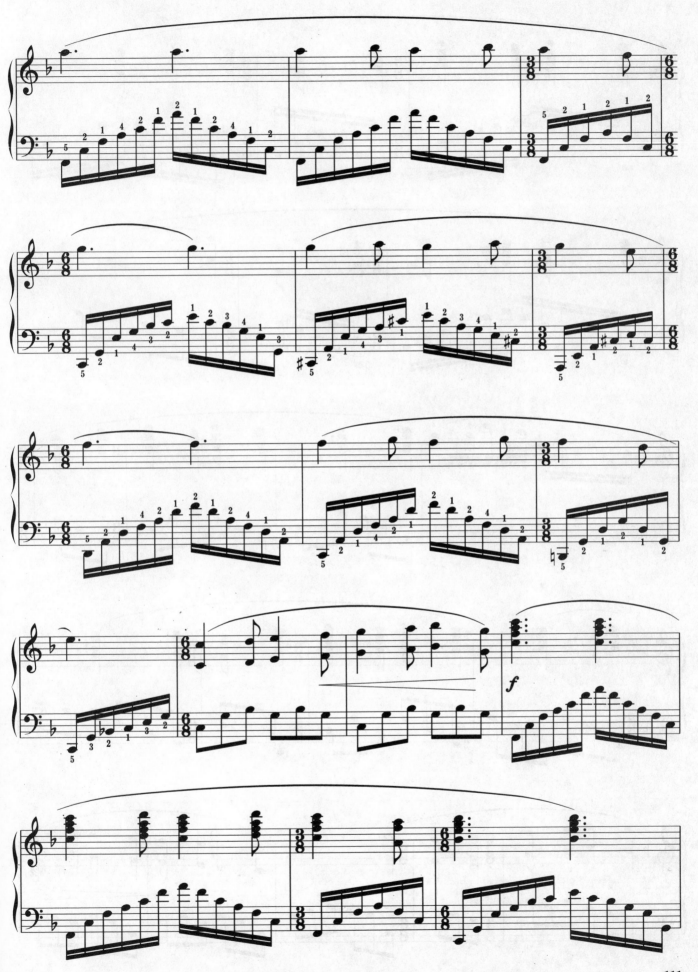

112

威尼斯之旅

图 森曲

Coda

simile legato

117

柔情蜜意

Moderato （♩=88）

普雷斯利、马特松曲

119

忧郁的时刻

图 森曲

120

秘密的庭院

塞内维尔、图森曲

勃拉姆斯的摇篮曲

勃拉姆斯　曲
塞内维尔改编

舒伯特的小夜曲

舒 伯 特 曲
图森、萨莱斯改编

李斯特的爱之梦

李 斯 特 曲
萨莱斯、图森改编

森林里的小动物

塞内维尔、图森曲

Coda

触 技 曲 '80

（托卡塔曲）

巴赫、柴科夫斯基、勃拉姆斯　曲

图　　　森改编

135

137

命 运'80

(给爱时间)

Allgro ($\bowtie$ = 106)

贝多芬、莫扎特 曲
塞 内 维 尔改编

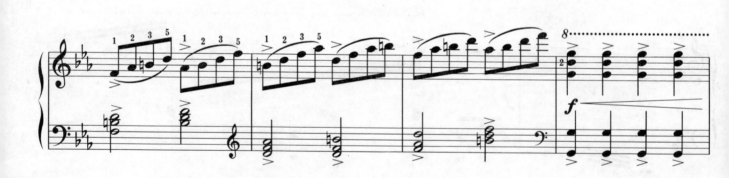

Fine

D.S.

献给爱丽斯

贝 多 芬 曲
萨莱斯、图森改编

欢乐之歌

贝 多 芬 曲
萨莱斯、图森改编

148

150

图书在版编目（CIP）数据

理查德·克莱德曼经典通俗钢琴曲/ 许民 编

长春:长春出版社，2013.11

ISBN 978-7-80604-408-6

Ⅰ.理查… Ⅱ.克莱德… Ⅲ.经典 Ⅳ.钢琴曲

企划制作：吉林省天翔音乐图书有限公司
公司地址：吉林省长春市立信街1514号
邮　　编：130021
电　　话：+86-431-85638766
传　　真：+86-431-85666939
网　　址：www.中国音乐图书网.com
　　　　　www.musicbookchina.com
责任编辑：刘东超
　　　　　姜志标
封面设计：郝　威

理查德·克莱德曼
经典通俗钢琴曲
许民 编

出版　长春出版社—吉林出版集团有限责任公司—吉林电子出版社有限责任公司
地址 吉林省长春市泰来街出版广场

www.中国音乐图书网.com
www.musicbookchina.com

刘东超　姜志标　责任编辑

发　行　吉林省天翔音乐图书有限公司
地　址　吉林省长春市立信街1514号
电　话　+86-431-85638766
2014年03月印刷
开本/880×1230　1/16　印张/10
印　数/3000
ISBN 978-7-80604-408-6

本书定价：39.80元（含1CD）

郑重说明：

凡发现此书被盗，举报者必有重谢！

举报电话：0431-85638766